엄마의 활주로 덕분에 새로운 희망으로 이륙하는

道
아니면
뭐?!

저자 Susan Park

'내 사랑 컬리수 : Curly Sue' 라고 1990년대 초반 개봉했던 미국영화를 통해 Susan의 애칭으로 Sue라고 쓴다는 걸 알게 됐다. 내 본명 마지막 글자가 '수' 라서 영어 철자로 쓸 때 sue라고 쓰기 시작함과 동시에 내 영어 이름은 Susan이라고 정했더랬다.

내 본명의 성은 아버지 성을 따랐으니, 필명은 어머니 성을 따르고 싶은 마음이 있었고, 수잔의 공원에 와서 쉴 수 있도록 스테디셀러를 한 권 써보고 죽고 싶은 꿈도 담겨 있다.

엄마의 활주로 덕분에 새로운 희망으로 이룩하는

道
아니면
뭐?!

Susan Park

1장
추락

2장
추락하지 않고 착륙, 그리고 이륙 준비

3장
약속

책소개

23년 11월에는 아들의 만 10세를 꽉 채웠다.

제주도에 살고 있던 우리는, 24년 2월에는 태국으로 여행을 갔다.

여행지에 도착한 이튿날, 며칠째 기운 없던 아들내미 수액이나 맞출까 싶어 숙소 근처 응급실을 찾아갔고 혈당 600mg/dL이라는 수치로 그곳에서 '당뇨병성 케톤산증'이라는 진단을 받았다. 그렇게 귀국일까지 입원해 있다가 췌도부전인 1형인지, 2형인지, 기타 당뇨인지 애매한 상태에서 아들아이는 혈당과의 씨름을 시작했다. 그걸 지켜보는, 몸과 마음이 건강하게 태어나 10년 동안 그렇게 살아주었음에 고마움을 몰랐던 엄마의 솔직한 마음을 글로 담아보았다.

시시때때로 엄마인 내 마음은 무너져 내리지만 매일 몇 차례씩 혈당검사를 하고 병원에 매달 가는 것이 길게 보면 더 큰 병을 예방할 수도 있겠다 싶어 '모 아니면 도'라고 생각했다.

길은 이 길밖에 없다. 혈당 관리를 잘하는 길.

(온라인상에서 아들내미를 언급할 때는 '해달+다람쥐'를 합친
'해달람쥐'라곤 했었다. 그래서 이 책에서도 그렇게 불러보기로
했다.)

1장

/

추락

240214 화려한 10대 진입 신고식

모든 것이 느리게 성장하고 있지만, 거꾸로 가는 것은 없었기에 안정적이라고 느끼던 나날이었다.

벌써 무료한 기분마저 들었더랬다.

내게 대운이 허락된 적은 없지만 느리더라도 앞으로만 성장하는 소운을 확신하던 터였다.

1/26 * 금요일부터 슬금슬금 아프더니,

월요일 병원에서 편도염이라고 했다.

코로나나 독감이 아니라 다행이라 생각했다.

항생제를 꼬박 닷새 다 먹이긴 했는데 병원 예약에 실패하여 병원에 못 들르고 계획대로 그냥 육지에 갔다.

약 먹는 동안 기침이 늘더니 스키일정을 소화하는 동안 절정에 달했다. 그래도 열은 없었고 잘 먹었다. 기침하는 걸 힘들어했다.

2/6＊화요일엔, 1/23＊화요일과 1/27＊토요일에 검사했던 ADHD 결과를 전화로 들었다.

지능이 90으로 기대했던 것보다 낮게 나왔고 ADHD 부주의 형 판정을 받았다.

스키장을 떠나, 시가에 가기 전 병원에 들렀을 때 편도염이 다 낫지 않았고 천식으로 기침을 많이 한다며 먹는 약에 기관지 확장제까지 추가되었다.

이때부턴 좀 수척해졌다고 느꼈었다.
그래도 시가에서 잘 먹고 지낸 편이었는데……

애 아빠는 아이의 ADHD를 받아들이지 않기에 약 복용에 동의하지 않는 중이었다.

시가에서 아이의 ADHD로 인한 '우기기 울기'를 내가 확실히 겪고 나서 애 아빠에게 한 번 더 이야기했지만, 신랑 입장에선 내가 문제 아닌

것을 문제 삼는다고 받아들이니 갑갑하고

- 이러다 전두엽 성숙의 최적기에 약 복용시키는 골든타임을 놓치
  는 거 아닌가?
- 그냥 동의 없이 몰래 복용시킬까?

두 가지를 놓고 고민하자니 심란했다.

이번 여행 일정은 스키 - 설 쇠기 – 태국 후아힌으로 짜여 있었다.

중간중간 호텔 숙박이 예정돼 있었는데 태국 오기 전 호텔링 일정이
이틀에서 나흘로 늘어났다.

스키장 다녀와서 들렀던 병원에 다시 들렀을 때 아이의 편도가 아직
부어있다며 추가로 약을 지어주었는데 아이는 그 직전에 두 번, 약 때
문에 다 토했던지라 정말로 먹기 싫어했고 잠을 엄청 잤다.

회복하느라 잠을 많이 자는 줄 알았는데 태국에 와서 애 상태를 보
니 기력이 없어 계속 잠을 자는 거 같았다.

240215 낮까지, Blood-Sugar (is) Big Problem

방콕 공항에 내려 후아힌 숙소까지 가는 차 안에서도 내리 잠만 자던 아이는, 숙소에서의 밤잠은 제대로 자지 못하고 밤새도록 뒤척였다. 며칠 잘 먹지 못했는데 그날 밤에도 먹고 싶어 하는 것이 없었고, 커다란 요구르트 같은 것을 원해 마시게 해주었지만 토하기도 하고 화장실을 계속 들락거렸다.

이튿날 아침 (240215) 아이는 더욱더 기운이 없어 보여 애 아빠가 들쳐 업고 길 건너 사립 병원 응급실로 향했다.

이것 저것 검사하고 한 시간 후, 마스크를 쓰고 있던 머리카락이 희끗희끗한 내 또래 남자 의사가 눈을 동그랗게 뜨고 하던 말…. 그 순간은 평생 잊히지 않을 거 같다.

Blood-Sugar (is) Big Problem.

내 영어는 훌륭하지 않다. 생존 영어이다. 내 평생 혈당 따위를 영어로 알 리 없었고 알 필요도 없었지만, 그 순간 혈당을 말한다는 것을 알았고 큰 문제라고 말하는 것도 한국어로 해석은 됐지만 우리는 그저 이 아이가 기운이 없어 수액이나 맞추러 갈 뿐이었기에 그 모든 상황이 이해되지 않았다.

의사는 아이가 췌도부전인 1형 당뇨를 의심했고, 당시 겪고 있는 것은 케톤산증이었다.

높은 혈당을 처리하지 못해 산이 되었다는 것을 우리나라 인터넷 검색창을 통해 알게 되었다.

응급실로 방문했던 그 병원엔 어린이를 위한 집중치료실이 없어 인근 국립병원으로 전원시켜 주었다.

우리 가족 셋이서 모두 함께 구급차를 탄 것은 처음이라 나름대로 여행 기념이라고 생각하기로 했다. 더군다나 정말 좋은 구급차였다.

240215 낮부터, 소아 집중치료실이 있는 국립병원으로 전원 후

완벽함에서 2% 부족한 상태에서 시작된 이번 여행은 정말 갖가지 사건·사고가 끊이질 않고 있었다.

(테이블에선 쉰 냄새 나고 고춧가루 묻어있던 새 그릇들 지적했더니 30% 할인해 주겠다고 제안받는 정도의 사건은 그냥 사양하고 더 문제 삼지도 않았는데……)

발진성 편도염에 스키까지 열심히 탔는지 기운이 없긴 했는데 '당뇨병성 케톤산증'이라니……

집중 치료가 필요해 면회도 정해진 시각에만 할 수 있는 낯선 병원에 해달람쥐만 입원시키고 왔다.

· 소변줄 꼽는 게 제일 아팠다고 해서 그때 많이 울었다.

애가 자기가 잘못했다며 이걸 제발 빼달라며 울어서, 네가 잘못한 게 있어서 그런 게 아니라고 말해주다 결국 같이 울었다.

· 평소 자기는 단 것도 많이 안먹었는데 당뇨병이라니
· 입원 때문에 여행 기간이 짧아져

그 두 가지를 가장 억울해하며 해달람쥐가 계속 울었다.

240218 환우 카페가입

환우 카페가입 후 등급이 올라서 글을 슬슬 둘러보았다.

상황에 따라 혈당 변동이 너무 심해진다는 것을 알게 되었다.

(예를 들면 감기 등으로 아플 때, 수면 시 성장호르몬으로 인해 쉽게 고혈당이 된다.)

퇴원하기도 전에 나는 이미 지쳐버렸다.

잘 해내야만 해….

그래서 미쳐버릴 거 같아….

애한테 시험 삼아 인슐린을 막 주사할 수가 없잖아….

두려워…. 어떡하지 정말……

췌도췌장아 제발 돌아와……

그렇게 초조해하다가 두 돌 조금 넘은 아기도 투병 중인 걸 알고 나니……

투덜거리지 말고 좀 더 용기를 내야겠단 생각밖에 안 들었다.

이런 알고리즘을 통해 유튜브에선 갖가지 병마와 싸우는 아이들을 보여주었고, 스레드(Threads)에서는 출산예정일을 앞두고 아이들을 떠나보낸 엄마들 이야기를 들려주었다.

세상에는 원인을 알 수 있는 일보다, 알 수 없는 일이 훨씬 더 많은 게 아닌가 싶다. 아무 인과관계가 없는데 고통받는 이들이 너무 많다. 그냥…… 이 정도임에 감사했다.

240219 혼자 침습 채혈을 시작

오늘 해달람쥐는 혈당을 재기 위한 채혈을 스스로 하기 시작했고 나는 펜형 주사기로 인슐린을 놔주기 시작했다.

대부분의 시간을 미디어 사용하며 보내고 있지만 그제부터는 엄마 숙제인 연산지 1장도 다시 시작했다.

내일 밤, 정확히는 모레 새벽 비행기를 타기 위해 겸사겸사 짐 싸러 오늘 밤엔 내가 숙소로 들어왔다.

코인 세탁기에 넣을 10바트를 찾아 온 동네를 헤매고 이번 여행 마지막으로 빨래하려고 빨랫감을 챙기는데 해달람쥐 것은 없었다.

며칠 전 한차례 돌리기도 했지만, 이번 여행에서 해달람쥐는 병원 밖으로 나올 일이 전혀 없었기에……

입이 짧은 아이라 해외여행이 늘 부담이었는데……

작년에 이어 다시 찾은 이곳에서 다시 꼭 먹고 싶다던 치즈피자도 허락받지 못했고 작년에 이 숙소 수영장에서 수영하라던 거 그렇게 싫어하더니만 이번엔 오기 전부터 수영 타령했는데 수영장 구경도 못했다.

방콕 공항으로 떠나기 직전까지 병원에 있다가 가라고 하셨다.
너무 가슴이 아팠다.
내 췌도와 바꿔주고 싶다. 제발.

해달람쥐 양가에는 딱히 당뇨환자라고는 계시지 않는다. 만삭 때 몸무게를 뚫어버린 내가 첫 당뇨인이 될 참이었는데……

240222 오진일 거란 덕담이 고통인 이유

드디어 내일 한국에서는 처음으로 병원에 간다.

나라 밖에서 받은 진단은 오진일 거라고 덕담을 듣고 나면 마음이 좋지 않았는데 그 이유를 이제 알았다.

나도 오진이라는 희망을 품고 싶은 건데 그 가능성은 낮으니 헛된 희망 끝에 다시 절망의 나락으로 떨어지는 것이 너무 두려운 것이다……

그러니까 얘가 불치병에 걸린 게 맞다고 확신하는 게 지금으로서는 내 마음엔 낫다.

그렇다는 걸 다시 확인하면 약간 우울감을 느끼고 곧 덤덤하게 매일매일 안전 혈당 관리를 위해 공부하고 노력하겠지.

이렇게 마음먹고 있다가,

"오진이었네요~. 시간이 걸리겠지만 회복될 거예요~"

라는 소릴 듣는 게 나을 거 같았다:

240224 내 마음의 삼한사온

마음이 며칠 괜찮았다, 안 괜찮았다를 반복한다.

아직 바닥을 안쳐서 그런가 보다.

바닥을 치면, 서서히 긍정으로만 채워지겠지 … .

240225 일어났을 땐 마음이 덤덤했다.

항상 드리던 기도는 우리 해달람쥐가 몸과 마음이 건강하게 태어날 수 있게 허락해 주셔서 감사하고 이 아이가 살면서 장애를 갖게 되더라도 주님 뜻 안에서 자유인으로 살아갈 수 있도록 훈육하는 강인하고 지혜롭고 따뜻한 부모가 될 수 있도록 허락해 달라고 특히 성체를 모실 때마다 기도했다.

딱 10년을 그렇게 허락된 건강함으로 살았는데 감사함을 몰랐다.

용기를 주십사 기도했다.
눈물이 날 거 같아, 눈을 뜨고 기도했다.
찔끔 나왔는데 더 나오지 말라고 눈을 치켜떴다.

십자가를 보니 눈물이 더 나와서 허공을 올려다보고 있었는데 아이가 나를 돌아보는 인기척이 느껴졌다.

애가 보는 앞에선 한 번도 운 적이 없어서 조심하고 있었는데 눈물이 쏟아졌다.

거즈 손수건으로 눈을 한참 누르고 있다가 콧물도 닦고 그랬다.

마침내 아이가 물었다.

"엄마 어디 아파?"

공감력 떨어지는 사고형 해달람쥐 덕분에 눈물이 쏙 들어갔다.

어찌나 공평·공정하신지 네 공감은 양방향으로 아직 덜 발달했구나….

240226 웃음을 잃었다는 걸 깨달았다.

A 병원에서 희망적인 이야기를 듣고 아웃백에서 점심을 먹고 신랑을 공항에 내려주고,

돌아오는 차 안에서 라디오를 듣다 웃었는데 그게 되게 어색했다.

왜 어색한지 생각해 보니 내가 웃지 않은 지 꽤 여러 날 되었다는 걸 깨달았다….

240227 새 학기를 앞둔 심란함

오늘 잠에서 깼을 때 가장 먼저 느낀 것은 무기력이다.

모든 일정을 백지화하고 집에 가만히 들어앉아 있고 싶은데 그러면 안 될 거 같아 꾸역꾸역 움직여 본다.

집이 난장판인데 손 하나 까딱하기 싫다.

이 와중에 설거지는 하고 있으니 얼마나 기특해.

수치가 경계를 넘지 않고 정상 범주에 있으니, 진단을 보류한 것인데 당장 카페의 환우들을 봐도 그렇고……

밀월 기간 (밀월기:1형 당뇨병 치료를 시작한 직후 몇 달에서 1년 즈음에 걸쳐 당뇨병이 완치된 것처럼 보이는 증상. (나무위키 발췌))임을 의심하지 않을 수가 없고 확진 받는다면 밀월 기간이야 길면 길수록 좋은 것이니…….

아이의 췌도가 어느 정도 기능은 하는 거 같으니 나는 그냥 급식을 먹도록 허락해 주고 싶은데 신랑은 내가 도시락을 싸 들고 가서 혈당 체크와 인슐린주입을 해주길 원한다.

학교로부터 이것을 설득해야 하는 것이 벌써 싫다.
좋게 넘어가면 좋지만, 새 학기부터 새 담임선생님과 학교와 갈등을 겪는 게 싫다.
난 쌈닭이라 싸우는 게 문제는 아닌데

그러고 나서 학교에 매일 가는 건 내가 아니라 해달람쥐라서……

240305 개학 이틀째

전 담임선생님께 미리 말씀은 드렸었는데 작은 학교가 아니라 그런지 전달이 잘 안 된 거 같아서……

첫날 등굣길에 편지를 써 보냈고 담임선생님이 1교시도 전에 문자 연락을 주셔서 어제는 내 차에서 밥을 먹였다.

남는 시간이 전혀 없어 식후 걷기를 시킬 수도 없었고 1시간 후 하교하여 혈당을 쟀을 때 200 이 넘어서 난감했다. (기존에 쓰던 속효성보다 약간 더 빠른 반응이 있는 인슐린을 썼는데도 불구하고…….)

오늘은 전화가 와서 심장 내려앉는 줄 알았는데 교감 선생님과 이야기가 되었으니, 상담실에서 도시락을 먹으면 된다고 알려주시는 거였다.

큰 차이 있겠나 싶었는데
큰 차이가 있었다. 하하하
훨씬 쾌적했고
시간이 30분이 남아 나름 뛰어논 거 같다.

한 시간 후 하교하여 혈당을 재보니 132였다.
'식사 직후 30분 걷기'의 위력은 어마어마하다.

그것도 그렇고 식사 시간쯤 되면 6, 70까지 혈당이 내려가 있어서 인슐린을 줄이고 있는데⋯⋯ 석식 때는 2/3만 맞췄는데도 한 시간 후 121이 나왔다.

내일 A 병원에서 검사한 모든 것에 관한 결과를 듣는다. 괜히 기대를 갖게 된다⋯.
사실 이제 마음이 단단해져서 아무래도 나는 괜찮을 거 같다.

당사자만 괜찮으면 나야 뭐……

(그래도 서울까지는 가 볼 거고……)

좌우지간 이만하면 다행이지 싶어 주님 고맙습니다….

고난이 왔지만 견디어 버틸 수 있게 곁에 계셔주셔서 고맙습니다….

이벤트로 겪고, 아무 일도 없었던 것처럼 지나갔으면 좋겠지만……

그렇지 못하게 된다면 그때에도 견디어 버틸 수 있는 능력과 지금까지 함께 마음 써주신 제 지인들을 계속 함께 할 수 있도록, 그때도 허락해 주세요.

삶을 더 의미 있게 살아갈 수 있도록 제 주위 사람들에게도 의미 있고 모르는 타인들에게도 그럴 수 있도록 노력하겠습니다.

240314 절망과 희망 사이, 외 줄타기

절망과 희망 사이, 외 줄타기를 걷고 있는 기분이다.

멈추면 안 돼, 균형잡기 힘들어서 어느 쪽이 됐든 떨어지고 말 거 야……

그러니 계속 앞으로 조금씩 걸어 나가는 수밖에 없어.

기저 인슐린은 계속 맞고 있지만 식사 전 속효인슐린은 많이 줄어서 학교생활에 영향을 주는 조·중식 때는 아예 맞추지 않을 때도 있다.

다음 주 월요일에는 급식을 맘껏 먹어보라 할 예정이다.

대신 약속을 지켜야 해.

1 · 4 · 6교시 끝나고, 체육 시간 전후로 혈당 재서 알려주기.

240411 구르기를 멈추지 않는 돌덩이

밤에 자려고 가만히 누워 있으면 뜨거운 돌덩이가 가슴을 내리누르는 것 같아 잠이 오지 않는다.

울퉁불퉁 거친 표면의 뜨거운 돌덩이가, 내 우울한 생각을 따라 가슴속에서 천천히 회전한다.

후벼 파인 가슴속에 피 웅덩이가 고이기 시작하면 뜨거운 용암으로 손끝 발끝까지 흘러 나를 다 태워버린다.

그렇게 나는 재가 돼버리면 좋으련만, 죄 많은 어미는 그렇게 쉽게 사라져서는 안 된다.

용암처럼 흐르던 뜨거운 고통은 다시 울퉁불퉁하고 무겁고 뜨거운 대리석 돌덩이로 내 가슴에 뙈리를 틀고 앉아 회전한다.

왜 현무암이 아니고 대리석일까.

왜 옆으로 돌아누워도 굴러떨어지지 않는 것일까.

나 때문이다.

내가 이 아이가 살면서 장애를 갖게 되더라도 주님 뜻 안에서 자유인으로 살아갈 수 있도록 훈육하는 강인하고 지혜롭고 따뜻한 부모가 될 수 있도록 허락해 달라고 기도했기 때문이다.

그냥 몸과 마음이 건강하게 태어나 천수를 부귀영화 누리며 행복하게만 살다 편안한 죽음을 맞이할 수 있도록 해달라고 기도를 드렸어야 했는데……

- 비행기 타기 전 열흘 새 체중이 4kg이나 빠졌을 때 당뇨를 의심했어야 했는데.
- 스키장 다녀와서 감기약을 그렇게 무작정 먹이지 말걸.
- 작년 10월 11월부터 애가 혈당 문제가 생긴 거 같은데, 그때쯤 방

송부 신청서 까먹고 안 냈다고 엄청 혼을 냈었다. 그때부터 애가
스트레스를 많이 받아 면역이 자기 췌도를 공격한 거 같아.
문득문득 내 탓을 하게 되는 건 어쩔 수가 없다.

2장

/

추락하지 않고 착륙, 그리고 이륙 준비

240419 어림의 중요성

조식은 거의 매일 비슷하다.

입 짧은 애라 -수요일이 아니고는- 급식을 많이 먹지도 않아서 점심때는 인슐린을 주사하지 않아도 괜찮고 (정확하게 말하면 중간에 튀는 효과가 있는 기저 인슐린 란투스 덕을 좀 보는 것) 나머지 모든 먹는 일에는 탄수화물 함량 확인하고, 인슐린+탄수화물 비를 계산해 주고 있었다.

오늘도 비슷하게 차려주고 인슐린 맞기 전에 (이미 늦었으니) 먹고 있으면 인슐린 계산해서 주사해 준다고 말하고 화장실에 앉아 있었는데 애가 4 unit 정도 주사하면 되냐고 물었다.

직전에 계산해서 나온 게 4.5 unit인데 오늘 체육이 있으니, 4만 맞출까 생각하고 있었는데……

태국에서도 그랬지만 한국에 와서도 영양교육에서 항상 강조하던 게 결국 눈대중으로라도 인탄비를 잘 추측해야 한다는 것이었다.

떡볶이 떡 8개랑 가래떡 1개랑 맞먹는데 여기에 맞는 내 인탄비를 계산기로 계산하지 않고도 익숙해지는 것.

(그렇게 해서 환자 스스로 먹고 싶은 것을 다 먹을 수 있도록, 특히 성장기 환아들에게 해주어야 한다고… .)

기저 및 속효 인슐린 펜 하나씩 다 쓰는 동안 결국 너는 해냈구나.

발병 두 달째, 5학년이지만 만 10세인데 기특하다 우리 아들.

240424 '216 1마즐게'

13시 10분 급식 후 14시 40분쯤 혈당을 재서 문자로 보내주고 전화를 걸었는데 내가 빨래를 널고 있느라 늦게 확인했다.

'216 1마즐게'

맞춤법이야 아무려면 어떠니….

1 unit에 네 혈당 100mg/dL 이 내리는 걸 너 스스로가 알고 있는게 더 중요하지….

'응

전화 못 받아서 미안

빨래 널고 있어서 그랬어.'

240531 일기가 줄어든 이유

마음이 단단해지면서 투덜거림도 줄어드느라 일기가 줄어들었었다.

그동안 상태가 많이 호전되어 인슐린을 계속 줄였고 경구용 약으로도 잠깐 효과를 보았었다.

하지만 B 병원에서만 받을 수 있는 검사에서 결국 양성이 나와 24년 5월 30일부터 해달람쥐는 췌도부전-1형 당뇨 환자로 확진되었고 다시 인슐린만을 사용해야 한다. (인슐린을 분비하는 췌도의 베타 세포가 모두 사멸하기 전에 최대한 보존하려면 인슐린을 적정하게 사용하는 방법밖에 없다. 물론 사멸한 후에도 방법은 인슐린뿐이다.)

이 검사에서도 음성이 나왔다면 유전자 검사를 통해 MODY 당뇨는 아닌지 또 검사하고 기다려야 했겠지. 완치 가능한 기타 당뇨일까 봐 희망을 품는 것도 좋았지만, 그 희망이 꺾여 어제 '케톤산 경향 2형 당뇨'에서 '1형 당뇨'로 변경하는 요양 급여 회송서에 서명을 하는데 차오르는 눈물은 고통 그 자체였다.

하루 만에 마음을 다잡고 해달람쥐는 교육청 캠프에 참여하러 갔고 나는 이 글을 마무리하는 중이다.

(2장의 추락하지 않고 착륙했다는 표현은, 방탄소년단 슈가가 어디선가 언급했던 것을 인용한 것이다.
추락하지 않고 착륙해야 다시 이륙할 수 있다고….)

해달람쥐 발병 일주일 전에 김주환 교수님의 '내면 소통' 강의 중에서 '수용' 편을 보았더니 큰 도움이 되었다. 이 강의를 들을 수 있도록 계기를 마련해준 네이버 카페 '자공마을'의 소모임 분들.
'자공마을'을 통해 보호자들에게 올바른 양육 방법을 알려주시려고 부단히 애쓰시는 '임작가'님과 배우자 '다람쥐'님.
작년에 역시 '자공마을' 소모임을 통해 '다이어트 과학자 최겸'유튜브로 '2형 당뇨'에 관해 공부할 기회를 얻었었다. 덕분에 태국 의사가 '1형 당뇨'에 대해 언급했을 때 '2형 당뇨'와 전혀 헷갈리지 않고 확연

히 다른 것이라는 것을 바로 알아들었다.

기회가 있을 때마다 공부하라고 모두에게 당부하고 싶다. 또 공부할 기회를 마련해준 모두에게 정말 고맙다고 인사하고 싶다.

ADHD 관련 인터넷 모임에 가입한 후 1형 당뇨 인터넷 모임에 가입했는데 두 군데의 보호자들 온도 차가 꽤 컸더랬다.

언어로 표현하기 힘든 온도 차였는데 '그림책 심리 성장연구소'의 '그림책 심리 큐레이션 2급'과정을 수강 중에 '감정'의 정의를 배우고 무릎을 '탁' 쳤다.

'자신의 현재 목표나 관심사라는 렌즈를 통해 세상사나 마음 상태를 해석한 결과가 감정이다.'

췌도부전 환아의 경우, 구체적으로 인지하기 전에라도 직관적으로 보호자들이 대신해 줄 수 없다는 것을 아는 듯 했다. 환아들이 스스로 잘 돌볼 수 있도록 훈육하는 방법밖에 없다.

그래서 거의 바로 '보호자의 현재 목표나 관심사라는 렌즈'를 버리고 '환아들의 목표와 관심사라는 렌즈'를 통해 세상을 보는 게 어렵지 않은 듯했다.

반면 앞서 언급한 모임에서는 인지 교육에 더 초점을 두는 것을 쉽게 확인할 수 있어서 염려된다.

아이들이 항상 자신의 현재 목표나 관심사라는 렌즈를 맑게 유지할 수 있도록 보호자들이 먼저 바른 공부를 하자고 제안하고 싶다.

마지막으로 한 번 더 고마움을 전하고 싶다.

뒤늦게 '엄마의 활주로'팀에 합류 시켜주어 꿈을 이루게 해준 이선경 작가님,

끝까지 기다려 주신 솔앤유 박산솔 대표님,

道자는 아이 손 글씨로 해보라고 조언 주신 편집디자이너 오은정 선생님,

우리 가족이 겪는 고난을 따뜻한 시선으로 지켜봐 주시고 맘 써주신 지인분들.

(서귀포 맛집 '홍당무 떡볶이 달래간장', '다정,하다 양파장아찌' 마음으로 더 잘 먹었습니다.)

여행지에서 돌아와 우리나라에서 처음 진료받을 때까지 의학적 조언해 주신 잰맘님댁,

B 병원 예약 잡아주신 둥근 달님.

고맙습니다…!

여행에서 막 돌아왔을 때, 우리 가족 사랑한다는 신랑 말에 '난 모르겠다'라고 대답했는데 너무 힘들어서, 내 마음에 긍정성이라곤 눈곱만큼도 없어서 그랬더라. 그때 그렇게 말해서 미안하고 혼자 늘 애쓰고 있어서 고맙고 우리나라에서는 내게 제일 잘 맞는 남자, 내 신랑 사랑해.

B 병원의 '요양 급여 회송서'를 오늘 A 병원 진료 간 김에 제출하고 나오니 해달람쥐가 A 병원만 다녔으면 몰랐을 뻔했는데 그래도 더 늦기 전에 췌도 부전임을 확실히 알게 돼 다행이라고 말해서 만감이 교차했다.

사랑한다, 아들아.

道 아니면 뭐?!

뭐 없어, 자기 관리를 잘해야 하는 길 밖에……

네게 역경을 주는 엄마지만

네 짝을 잘 찾아

주님 뜻 안에서 너 역시 원하는 삶을 잘 찾아 살아갈 수 있도록

힘껏 도울게.

3장

/

약속

약속

표지 사진은, 이 사진 찍기 직전에 찍은 것이다. 퇴원 직후 귀국행 비행기를 타러 가는 차 안에서 찍었다. 이 사진을 찍으며 내년에 다시 오자고 마음으로 약속했었다.

혈당 공부 열심히 해서 내년에 꼭 다시 갈 것이다.

道(도) **아니면 뭐?!** 췌도부전 확진받기까지 3개월간의 엄마마음

발 행 | 2024년 07월 29일
저 자 | Susan Park
표지사진 | Susan Park
표지일러스트 | 해달람쥐
디자인 | 오은정
인권표현검수 | 이지민
바른우리말검수 | 이지민
후원 | 제주특별자치도, 제주문화예술재단
주관 | 서귀포 오아시스
미디어에디터 | 최인서
작품편집, 에이전트 | 박산솔, 이정숙, 이선경
펴낸이 | 한건희
펴낸곳 | 주식회사 부크크
출판사등록 | 2014.07.15.(제2014-16호)
주 소 | 서울 금천구 가산디지털1로 119, SK트윈타워 A동 305호
전 화 | 1670 - 8316
이메일 | info@bookk.co.kr

ISBN | 979-11-410-9762-2

www.bookk.co.kr

2024 엄마의 활주로 '함께육아에세이'의 취지에 맞게 작가의 감정 표현과
아이의 언어 표현을 지키는 방향으로 교정 교열 하였습니다.

본 책은 강원교육모두체, 학교안심(확장)바른돋움체, 상주곶감, 학교안심바른바탕체가 사용되었습니다.

본 책은 제주특별자치도와 제주문화예술재단의 후원을 받아 제작되었습니다.

Jeju   JFAC 제주문화예술재단